Labhraidh *Loingseach*

arna insint ag
Máire Nic Mhaoláin

Aongus Ó Coileáin
a mhaisigh

Ⓖ AN GÚM
Baile Átha Cliath

Bhí rí in Éirinn fadó darbh ainm Labhraidh Loingseach, agus bhí cluasa capaill air.

Ní raibh a fhios sin ag duine ar bith eile, mar bhíodh cochall ar a cheann aige an t-am ar fad leis na cluasa a chlúdach.

Ach bhí fadhb mhór ag an rí
mar sin féin. Cad é mar a
bhearrfadh sé a chuid gruaige
nuair a d'fhásfadh sí rófhada?

'Dream cainteach iad na bearbóirí,' arsa an rí ina aigne féin, 'agus ní bheadh iontaoibh agam as duine ar bith acu. Bheadh an scéal ar fud na hÉireann taobh istigh de thrí lá, chomh cinnte is atá cluasa orm.'

Sa deireadh chuimhnigh sé ar sheift. Chuirfeadh sé an bearbóir chun báis chomh luath agus a bheadh a chuid gruaige bearrtha aige!

Cuireadh fios ar bhearbóir, bearradh gruaig an rí, agus cuireadh an bearbóir bocht chun báis láithreach bonn.

Agus ba é an scéal céanna é
aon uair eile a theastaigh ón rí
a chuid gruaige a bhearradh –
thugtaí sparán lán d'ór don
bhearbóir, ach chuirtí chun báis
ina dhiaidh sin é.

Chuaigh na blianta thart agus bhí na bearbóirí ag éirí gann.

Ní raibh mórán daoine ag iarraidh gruaig an rí a bhearradh, ba chuma faoin sparán óir.

Lá amháin tháinig mac baintrí go cúirt an rí.

Chuala sé go raibh sparán óir le fáil ag an té a bhearrfadh Labhraidh Loingseach, ach go gcuirfí chun báis ina dhiaidh sin é.

'Bearrfaidh mé féin thú, a rí,'
arsa mac na baintrí, 'má íocann tú
an sparán óir le mo mháthair sula
gcuirtear mé féin chun báis, mar tá
sí beo bocht agus gan sa saol aici
ach mise.'

Bhí an rí sásta, agus cuireadh
fios ar an mbaintreach go n-íocfaí
an t-ór léi.

Ach nuair a chuala an
mháthair cén margadh a bhí
déanta ag a mac leis an rí,
thosaigh sí ag gol is ag
caoineadh, agus ag impí ar an rí
gan a mac a mharú.

Ná maraigh é,
a Rí!

Bhog croí an rí léi.

Tá a croí
istigh ina mac.

'Is maith an mháthair thú,'
arsa an rí, 'agus is maith é do
mhac. Ní gá é a chur chun báis,
is dócha. Ach caithfidh sé
gealltanas a thabhairt dom nach
labhróidh sé le haon duine beo
faoi aon rud a bheadh feicthe aige
agus é ag bearradh mo
chuid gruaige.'

B'aisteach go deo an
gealltanas é, dar leis an
mbaintreach. Cad é a bheadh
le feiceáil ag duine agus é
ag bearradh an rí?

Ní féidir gur
folt bréige é!
Is ait an mac an rí.

Bhí an tuairim chéanna
ag an mac, agus gheall sé
go ndéanfadh sé rún go bás
ar an scéal.

Ní féidir go bhfuil
dhá chloigeann air.

Bhearr mac na baintrí an rí
ansin, agus má chonaic sé
na cluasa capaill níor lig sé dada
air féin.

Scaoileadh abhaile é ansin – é féin agus an sparán óir – agus níor luaigh a mháthair an scéal leis olc ná maith.

Ní haon chúis gháire é!

Ach de réir mar a bhí an t-am ag gabháil thart bhí an rún ag brú ar a chroí. Ní dhéanadh sé aon gháire feasta ach é ag dul thart mar a bheadh néal dubh os a chionn i gcónaí.

Bhí an scéal chomh dona sin gur chuir a mháthair é ag iarraidh comhairle ar an draoi.

D'aithin an draoi gur rún gan insint a bhí ag déanamh tinnis dó, agus mhol sé dó siúl go dtí an crosaire agus a rún a insint don chéad chrann a bhuailfeadh leis.

Lig do rún le crann.

D'imigh an buachaill leis,
agus ba é an chéad chrann
a chonaic sé saileach mhór. Chuir
sé a cheann leis an gcrann agus
dúirt de chogar, 'Tá cluasa capaill
ar Labhraidh Loingseach!'

Chomh luath agus a bhí na focail
as a bhéal scaip an néal
a bhí ar a aigne, agus b'éadrom
a chroí agus a choiscéim agus é
ag tarraingt ar an mbaile.

Ach tharla cruitire an rí an bealach sin agus é ag lorg lámhchrainn dá chruit.

Bhain sé géag den chrann sailí agus chuir sa chruit í, agus d'imigh abhaile go sásta.

Rinne an rí fleá mhór an oíche sin agus iarradh ar an gcruitire dreas ceoil a sheinm don slua.

Ach iontas na n-iontas, nuair
a bhuail an cruitire na téada, ní
raibh le cluinstin ach na focail seo:
'Tá cluasa capaill ar
Labhraidh Loingseach!
Tá cluasa capaill ar
Labhraidh Loingseach!'

Thit tost ar an slua ar fad.

Cad a dhéanfadh Labhraidh
Loingseach?

Níor bhog an rí ar feadh tamaill.
Ansin d'ardaigh sé a lámh go mall
agus bhain an cochall dá cheann.

Bhí an rún sceite, agus as sin amach níor cuireadh aon duine eile chun báis de bharr cluasa capaill a bheith ar an rí.

Gluais

aigne: mind
baintreach: widow
bearr: cut(hair)
bearbóir: barber
beo bocht: poor as a
   church mouse
bhog croí an rí léi:
   she moved the king's
   heart
(ag) brú: pressing
cainteach: talkative
cluinstin: to be heard
cochall: hood
coiscéim: step
comhairle: advice
crosaire: crossroads
cruitire: harpist
cúis gháire: laughing
   matter
dada: nothing
draoi: druid
dream: group of
   people
dreas ceoil: piece of
   music
fadhb: problem
fleá: feast
flúirseach: plentiful

folt bréige: wig
gann: scarce
géag: branch
gealltanas: promise
(ag) iarraidh: seeking
impí: pleading
íoc: pay
iontaibh: trust
iontas na n-iontas:
   wonder of wonders
láithreach bonn:
   immediately
lámhchrann: pillar
   (of harp)
mac baintrí: a
   widow's son
néal: cloud
os a chionn: above
   him
port: tune
saileach: willow
sceite: revealed
seift: plan
sparán oir: purse of
   gold
téada: strings
tost: silence
tuairim: opinion